Musée
J.-Armand Bombardier

© Fondation J.-Armand Bombardier, 1991
1000, avenue J.-Armand Bombardier,
Valcourt, (Québec) J0E 2L0

Dépôt légal: 4e trimestre 1991
Bibliothèque nationale du Québec

ISBN 2-9802256-2-2

Imprimé au Canada

Musée
J.-Armand Bombardier

À la découverte d'un inventeur et d'une industrie

En ma qualité de directrice du Musée depuis 1983, j'ai appris à mieux connaître l'homme et l'inventeur que fut Joseph-Armand Bombardier.

Dès son jeune âge et tout au long de sa vie, Joseph-Armand travailla à la poursuite d'un seul et même grand rêve : inventer des véhicules qui sauraient apprivoiser l'hiver en circulant aisément sur la neige, des véhicules qui «flotteraient sur la neige», comme il se plaisait à le dire. La réalisation de ce rêve devait le conduire éventuellement à la réussite.

C'est au début des années vingt, dans la petite ville de Valcourt, au Québec, que son aventure débuta. À sa mort, en 1964, son but était atteint. Il avait conçu et mis sur le marché toute une gamme de véhicules pour circuler sur la neige, dont sa célèbre motoneige Ski-Doo. Non seulement avait-il réussi à maîtriser les rigoureux hivers du Québec, mais il avait aussi largement contribué au développement d'une industrie et d'un sport.

Joseph-Armand Bombardier était un bâtisseur et un visionnaire. Grâce à son imagination créatrice, à sa ténacité et à son esprit d'entrepreneur, il jeta les jalons d'une entreprise qui, aujourd'hui, joue un rôle de premier plan sur la scène internationale.

L'inventeur était aussi un homme engagé dans son milieu. C'est pourquoi, en 1965, les membres de sa famille décidèrent de créer la Fondation J.-Armand Bombardier afin de poursuivre son oeuvre humanitaire et de répondre ainsi à l'une de ses dernières volontés.

Parmi les projets de la Fondation, celui de commémorer la vie et l'oeuvre de ce grand homme figurait en tête de liste. C'est ainsi qu'en 1971, le Musée J.-Armand Bombardier ouvrait ses portes. À l'aide de pièces de collection uniques, d'illustrations, de dessins techniques et de photos d'époque, les responsables du Musée ont pu reconstituer, pour le plus grand intérêt des visiteurs, les diverses étapes de la carrière de l'inventeur.

Dans le but de mettre en valeur les importantes retombées posthumes de l'oeuvre de Joseph-Armand Bombardier, la Fondation décida, en 1988, de réaménager et d'agrandir le Musée pour y ajouter une exposition permanente sur les multiples utilisations de la motoneige et sur ses retombées économiques dans le monde.

Depuis sa réouverture, en mars 1990, le Musée J.-Armand Bombardier propose donc à ses visiteurs les expositions permanentes suivantes:

l'**Exposition J.-Armand Bombardier,** repensée et enrichie, qui raconte la vie et l'oeuvre de l'inventeur;

le **Garage Bombardier,** atelier original de l'inventeur, complètement restauré et annexé au Musée à titre de bâtiment historique;

et enfin, l'**Exposition internationale sur la motoneige,** qui retrace l'histoire de l'industrie de la motoneige.

Le Musée J.-Armand Bombardier témoigne de la vie et de l'oeuvre d'un inventeur, ainsi que du développement d'une industrie. J'espère que ce livre en sera également un vibrant témoignage.

La directrice

France Bissonnette

France Bissonnette

Valcourt, Québec
Septembre 1991

7

L'Exposition
J.-Armand Bombardier

À la poursuite d'un rêve

Alors qu'il faisait du toboggan, Joseph-Armand partagea le rêve qu'il chérissait avec ses compagnons: «Un jour, je fabriquerai une petite machine qui flottera sur la neige et qui pourra même remonter les pentes».

En 1922, son père Alfred lui offre une vieille voiture Ford dans l'espoir que son fils, passionné de mécanique, cessera de démonter l'automobile familiale. L'adolescent n'avait alors que quinze ans...

Joseph-Armand s'enferme aussitôt dans le garage avec son frère Léopold. Peu de temps après, un vrombissement de moteur attire Alfred à la fenêtre de la maison.

Il a tout juste le temps d'apercevoir ses deux fils partir en trombe au volant d'une étrange machine à hélice.

Conscient des dangers que présentait l'hélice, qui aurait pu décapiter un des enfants, Alfred leur ordonne, au retour, de démanteler cette machine de malheur sur-le-champ.

Joseph-Armand obéit à contrecoeur. Cependant, en son for intérieur, il éprouve une grande joie: il avait réalisé son rêve, l'espace d'un instant.

Ce véhicule à hélice est une reconstitution
de la machine originale de 1922 réalisée
par Léopold, le frère de Joseph-Armand.

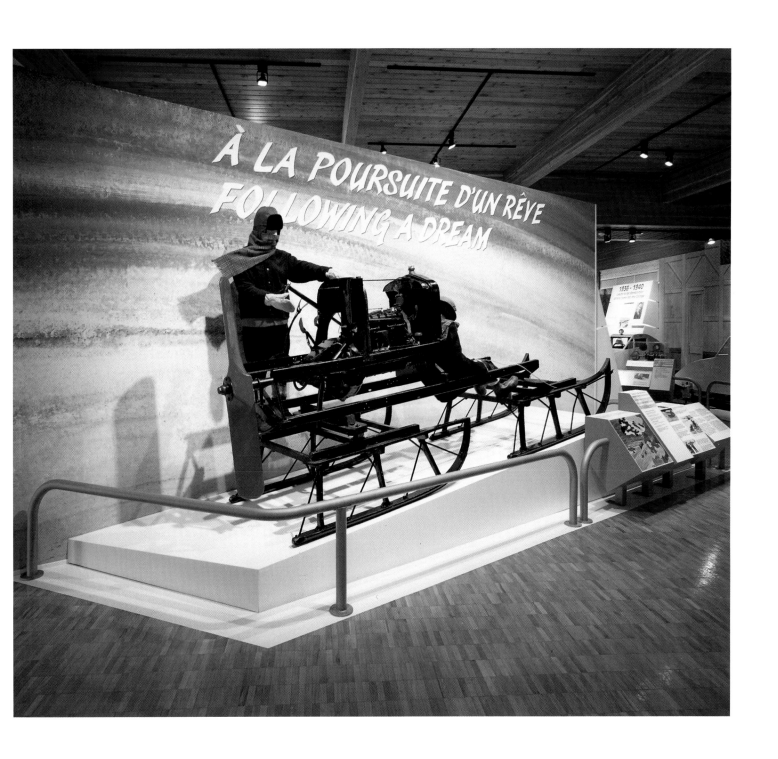

Le jeune mécanicien

Comme plusieurs jeunes de son âge, Joseph-Armand poursuit des études classiques. Néanmoins, il ne renonce pas pour autant à son rêve de fabriquer des véhicules pour circuler sur la neige. Animé par son grand rêve et sa passion pour la mécanique, Joseph-Armand persuade son père de le laisser abandonner ses études pour travailler comme apprenti mécanicien.

Plus déterminé que jamais, il part donc pour Montréal en 1924, où il travaille comme mécanicien le jour et étudie l'électricité et la mécanique le soir.

En 1926, il revient à Valcourt pour y exercer son métier et s'installe dans le garage que son père vient tout juste de lui construire.

Entre 1927 et 1931, Joseph-Armand réussit, en modifiant de vieilles voitures, à fabriquer et à vendre une dizaine d'auto-neiges, dont ce modèle datant de 1929. Debout, près du véhicule, on reconnaît son beau-frère et collaborateur, Valmore Labrecque.

Farceur à ses heures, Joseph-Armand trouve aussi le temps de jouer des tours à ses amis, tout en travaillant dans son garage.

Toutefois, son travail demeure sa principale préoccupation. Ayant toujours à l'esprit son rêve de jeunesse, il consacre tous ses temps libres à travailler à son projet. Il vend plusieurs de ses prototypes, dont celui de 1929 (à droite), et celui de 1931 (à gauche).

Cependant, l'inventeur est insatisfait, car malgré les améliorations apportées à chaque nouveau prototype, il n'a pas réussi à solutionner les problèmes de poids et de traction que posent ces véhicules. Mais il ne se laisse pas abattre pour autant et continue ses recherches.

Joseph-Armand en vient à la conclusion que pour fabriquer des autoneiges, il devra innover. Concevoir un petit véhicule léger demeure son objectif et il continue à y travailler.

Bien que son prototype à hélice de 1933 connaisse un certain succès, l'inventeur demeure insatisfait du produit fini. L'impossibilité de faire marche arrière, l'absence de freins et les dangers inhérents à l'utilisation d'une hélice incitent Joseph-Armand à abandonner définitivement ce genre de propulsion.

L'inventeur revient donc à la traction par chenilles. Il réussit à améliorer la performance de son prototype de 1934 (à gauche), mais le moteur surchauffe et le véhicule est inconfortable faute d'une bonne suspension.

En 1935, une invention importante

À cause des piètres résultats obtenus depuis 1933, Joseph-Armand délaisse temporairement son projet initial et concentre ses énergies à la fabrication de plus gros véhicules. En 1935, il conçoit un système de traction composé de barbotins et de chenilles, invention qui s'avèrera la plus importante de sa carrière.

Le barbotin est une roue dentelée recouverte de caoutchouc qui s'insère à une chenille faite de deux courroies de caoutchouc-coton reliées par des traverses d'acier. Pour Joseph-Armand Bombardier, cette invention est l'aboutissement de dix années d'efforts intenses.

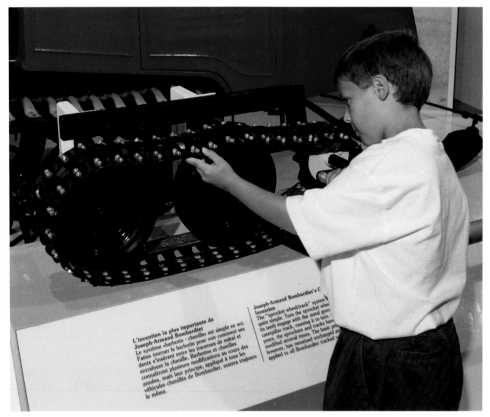

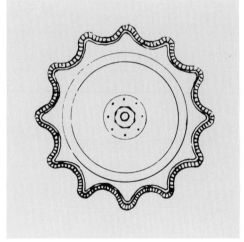

Ce prototype de 1935 est le premier véhicule Bombardier à être muni de barbotins et de chenilles.

Désormais, l'inventeur appliquera son nouveau système de traction à tous ses véhicules chenillés. Cependant, au fil des ans, barbotins et chenilles seront modifiés à plusieurs reprises, mais le principe de base demeurera toujours le même.

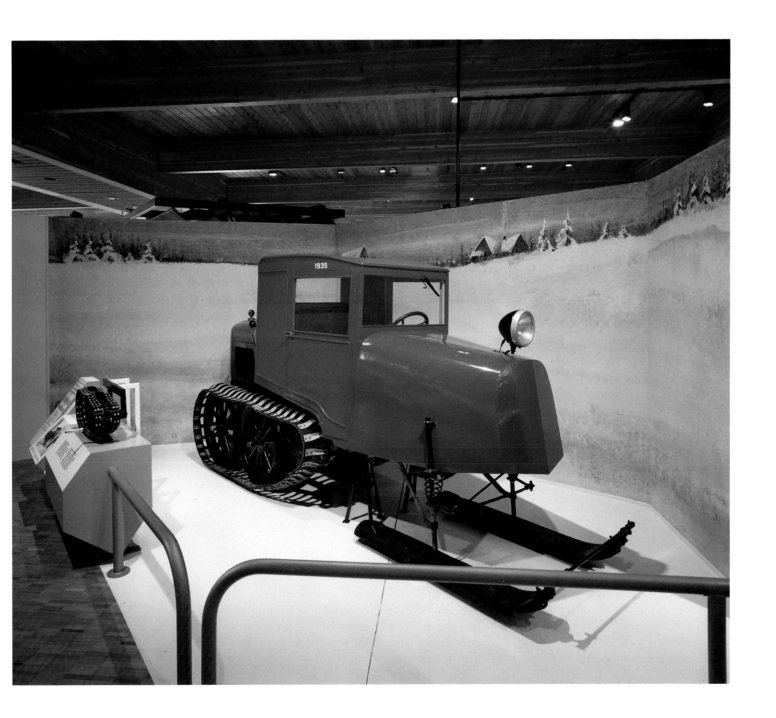

De 1936 à 1940, des années décisives

Grâce à ses talents d'administrateur et de mécanicien, de même qu'à son travail acharné, Joseph-Armand Bombardier voit ses affaires prospérer.

Convaincu de l'efficacité de son système de traction, il recrute sa première équipe, double la superficie de son garage et décide de se lancer dans la fabrication d'autoneiges. En 1936, le Garage Bombardier devient «L'Auto-Neige Bombardier».

Il s'agissait là d'une décision capitale et audacieuse, dont il avait bien pesé le pour et le contre, car il aurait pu choisir de vendre ses inventions plutôt que de les exploiter.

Le B7, premier succès commercial

Joseph-Armand Bombardier perfectionne son prototype de 1935 et dépose sa première demande de brevet d'invention en décembre 1936. En attendant sa réponse, il fabrique et vend huit exemplaires d'un nouveau véhicule, conçu à partir du prototype de 1935. Ce véhicule deviendra plus tard le B7.

Le 29 juin 1937, Joseph-Armand reçoit une lettre d'Ottawa lui annonçant que le gouvernement canadien acquiesçait à sa demande. Brevet en poche, l'inventeur se lance à fond de train dans la fabrication d'autoneiges B7. De 1937 à 1940, celles-ci gagnent rapidement en popularité, l'obligeant à doubler la production presque à chaque année. L'autoneige B7*, B pour Bombardier et 7 pour sept passagers, devient le premier succès commercial de l'inventeur.

Joseph-Armand aimait bien essayer ses machines, souvent dans des conditions difficiles et parfois inusitées. Un jour qu'il était à Québec par affaires, il remonta à reculons la célèbre glissoire du Château Frontenac au volant de son autoneige B7, sous les regards ahuris des curieux. Il aurait vendu, dit-on, deux autoneiges ce jour-là.

Se référer à la page 100 pour la nomenclature des véhicules Bombardier.

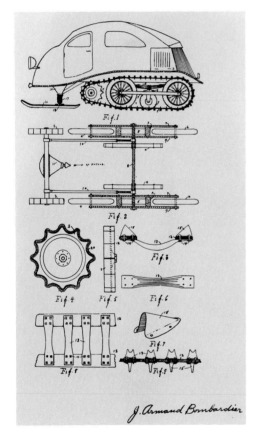

Joseph-Armand Bombardier savoure
alors son premier succès. Il a réussi
à mettre sur le marché un véhicule
pouvant circuler sur la neige, quelles que
soient les conditions d'enneigement sur
les routes. Les problèmes de transport
en hiver sont désormais résolus. Des B7
sillonnent toutes les régions du Québec.
Le nom Bombardier devient alors synonyme de véhicules qui passent partout
en hiver.

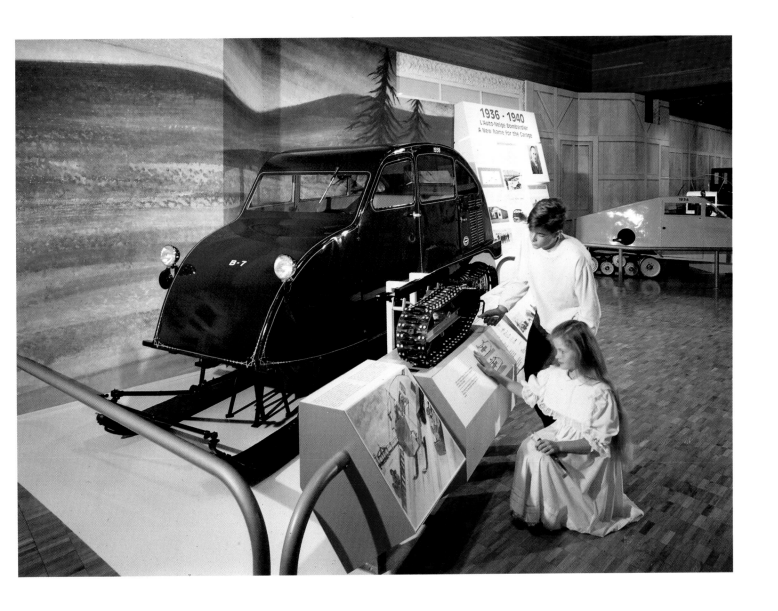

Joseph-Armand Bombardier perfectionne son B7 en y apportant plusieurs améliorations techniques. Le modèle de 1940 est muni, entre autres, d'un ingénieux système de suspension offrant un meilleur confort, et de roues pleines qui remplacent les roues à rayons, éliminant ainsi le problème d'accumulation de neige dans le train arrière. Ces roues pleines sont fabriquées dans les ateliers de Valcourt sur une nouvelle presse conçue par l'inventeur.

Cette presse sera utilisée pendant plusieurs années pour fabriquer les roues des véhicules Bombardier.

Une des clés de la réussite de Joseph-Armand Bombardier sera son désir d'être le plus autonome possible dans son travail. Voilà pourquoi, tout au long de sa carrière, il inventera ou modifiera des machines-outils et des pièces d'outillage pour répondre aux besoins de son industrie.

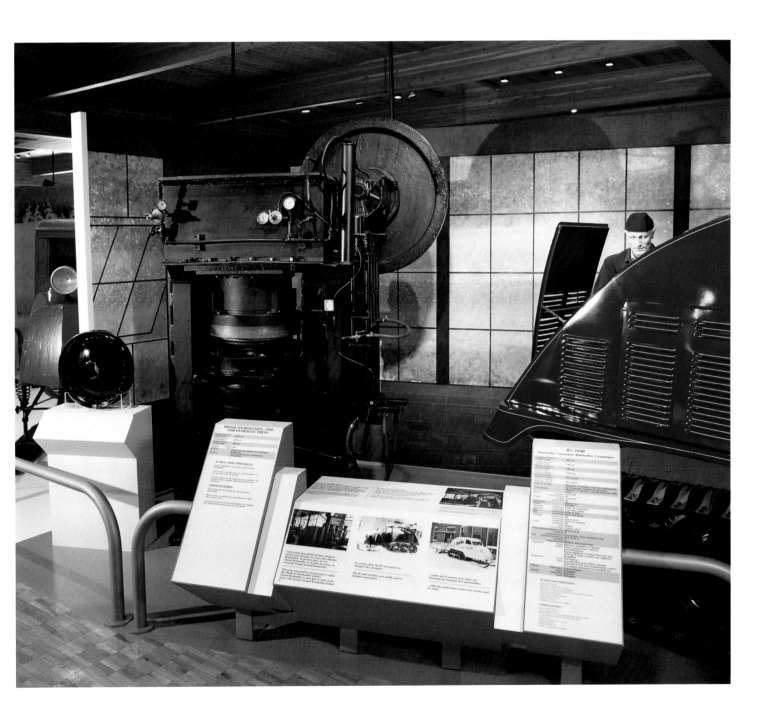

L'Auto-Neige Bombardier Limitée

À mesure qu'il acquiert de l'expérience en affaires, Joseph-Armand Bombardier prend conscience de l'importance d'adapter son style de gestion à la taille de son entreprise.

Après avoir consulté un cabinet d'avocats, il décide d'incorporer L'Auto-Neige Bombardier qui devient, le 10 juillet 1942, L'Auto-Neige Bombardier Limitée, dont il sera le président.

Dès lors, le conseil d'administration est composé de ses trois frères, Alphonse-Raymond, Gérard et Léopold, qui occupent respectivement les postes de vice-président, ventes et relations publiques, et directeurs de la recherche et de la production. Madame Marie-Jeanne Dupaul occupe quant à elle le poste de secrétaire-trésorière.

Messieurs Roland St-Pierre, ingénieur, et Jacques Bélanger, comptable agréé, se joindront au conseil au cours des années quarante, de même que le fils aîné de l'inventeur, Germain, à la fin des années cinquante.

Joseph-Armand Bombardier prenait plaisir à travailler avec ses employés, comme en témoignent nos photos.

Durant les années 1940 et 1941, les perspectives d'avenir des B7 sont excellentes. Au cours de cette période, Joseph-Armand Bombardier travaille à la fabrication de ces véhicules, mais la guerre qui sévit alors en Europe viendra contrecarrer ses projets.

Lorsque le Canada entre en guerre à son tour, le gouvernement fédéral adopte une série de lois visant à diversifier le secteur industriel à des fins militaires.

Cette nouvelle réglementation a des effets désastreux sur les ventes de B7. Mais l'inventeur ne se décourage pas et travaille dès lors à la fabrication d'une plus grosse autoneige. Enfin, en juin 1942, il fait une demande de brevet d'invention pour son nouveau véhicule B12.

Cette nouvelle autoneige retient l'attention du gouvernement canadien qui invite Joseph-Armand à travailler pour eux. Afin de répondre à la demande de véhicules militaires, Joseph-Armand modifie le B12. En 1942, le B1 fait son apparition. Cette autoneige est la

première d'une série de véhicules militaires qui comprendra, en outre, le Kaki et les Mark 1, 2 et 3. Plus de 1 800 véhicules blindés Mark 1, pouvant circuler aussi bien dans la neige que dans les marécages, seront vendus à l'Angleterre.

Le Mark 3, appelé aussi Penguin (notre photo), sera utilisé par l'armée canadienne pour son opération Musk Ox dans le nord des Prairies canadiennes, en 1946.

L'après-guerre, une ère de prospérité

La fin de la guerre met un terme aux restrictions et aux contrôles gouvernementaux. Joseph-Armand Bombardier reprend ses travaux de 1941 et remet en production son autoneige B12. Les performances du B12 sont remarquables. Elle devient donc rapidement très populaire. Elle est utilisée tant par les professionnels que par les travailleurs et sert, notamment, d'autobus et d'ambulance, ainsi que de camion pour la livraison de la poste et le transport de vivres et de marchandises en régions éloignées.

L'après-guerre, une ère de prospérité

Bien que la production des B12 ait pris
fin en 1952, cette autoneige est encore
utilisée de nos jours comme véhicule
de promenade.

Les véhicules de Bombardier ne cessent de gagner en popularité. En 1946, l'usine fonctionne à plein rendement et n'arrive plus à répondre à la demande. La compagnie prévoit qu'au cours de la saison 1946-1947, la production des B12 atteindra des sommets inégalés, et les prévisions pour la saison suivante sont encore plus élevées.

Joseph-Armand Bombardier décide donc d'agrandir ses installations.

En 1946, il double la superficie de son usine.

En 1947, il construit une nouvelle usine de montage à Valcourt, et la même année, met sur pied un centre de recherche à Kingsbury, petite municipalité située à 24 km de Valcourt.

En plus de développer ses compétences de gestionnaire, Joseph-Armand continue d'investir dans la promotion et la publicité de ses produits.

Après avoir établi un excellent service après-vente, il voit à ce que l'entreprise produise des dépliants publicitaires sur tous les véhicules Bombardier, dont le dépliant en couleurs sur le B12. Ces dépliants étaient postés aux clients et aux acheteurs éventuels et distribués dans les différents points de vente.

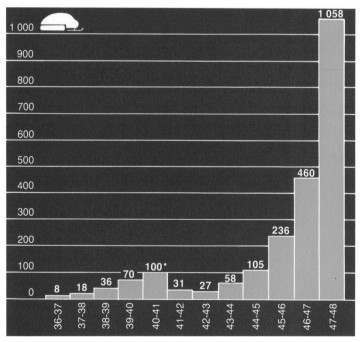

La production des véhicules civils (1936 à 1948)

Sources:
1936-1944 Alphonse-Raymond Bombardier
1944-1948 Archives du Musée
*Production prévue

De nombreux employés se joignent
à la première équipe. L'Auto-Neige
Bombardier Limitée compte à son service
plus de quatre-vingts employés, comme
en témoigne cette photo prise en novem-
bre 1946 par un hebdomadaire local,
«La Voix de l'Est».

En 1948, la décision du gouvernement provincial d'accorder des subventions pour le déneigement des routes de campagne porte un dur coup à l'entreprise. La production de 1948-1949 diminue de moitié.

Afin d'assurer l'expansion de la compagnie, Joseph-Armand doit concevoir de nouveaux produits. C'est le début d'une intense période de recherches qui reposera essentiellement sur l'imagination créatrice de l'inventeur.

L'inventeur se met à la tâche et, en 1949, il obtient un brevet d'invention pour le TTA. Il s'agit d'une chenille spécialement conçue pour les tracteurs de ferme afin d'en augmenter la capacité de traction, tant sur la neige qu'en sols humides.

Dès sa mise en marché la production du TTA atteint rapidement 3 000 unités par année, assurant ainsi la croissance de l'entreprise.

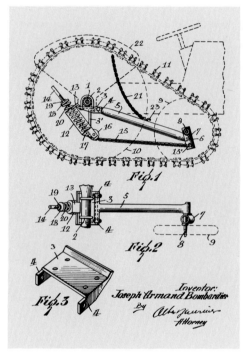

Grâce à cette invention, qui sera vendue
à travers le monde, les tracteurs de
ferme pourront désormais circuler dans
les endroits inaccessibles aux chevaux.

Malgré le grand succès que connaît le TTA, Joseph-Armand n'apprécie pas devoir adapter ce mécanisme aux nouveaux modèles de tracteurs agricoles introduits chaque année par les fabricants.

Il poursuit donc ses recherches amorcées en 1949, conçoit une gamme de véhicules pour le transport sur la neige, dans les marécages et les tourbières.

Le B5 (1), prototype conçu en 1949, ne sera jamais fabriqué. Les innovations techniques qu'il présentait seront toutefois exploitées ultérieurement par l'inventeur.

Le TD (2) et le TN (3), commercialisés en 1950, seront utilisés principalement par l'industrie pétrolière.

3

1

2

2

En 1949, ayant toujours en tête son rêve de jeunesse, Joseph-Armand fabrique un moteur radial à 7 cylindres (1) assez léger pour propulser un petit véhicule à un ou deux passagers.

Le moteur fonctionne à merveille et l'inventeur le met à l'essai sur divers prototypes. Cependant, à cause de sa complexité, il s'avère trop coûteux pour être produit en série. Joseph-Armand doit donc temporairement abandonner ce projet qui lui tient pourtant à coeur.

Mis en marché en 1950, le BT (2) est une version modifiée du B12. Ce véhicule sera très apprécié en forêt où il servira au transport du bois de pulpe et de sciage.

Le Snow Blower (3), conçu la même année, ne sera jamais mis en production. Cette souffleuse à neige témoigne cependant de la volonté de Joseph-Armand Bombardier de mettre au point un véhicule pour le déneigement des routes. Cependant, cette tentative n'ira pas plus loin.

1

2

3

De 1952 à 1964, les véhicules industriels

L'année 1952 marque le 10e anniversaire de L'Auto-Neige Bombardier Limitée. La compagnie est prospère. Le TTA occupe une place enviable sur le marché et les TN, TD et BT se vendent bien. Grâce à l'esprit inventif de Joseph-Armand Bombardier, l'entreprise s'était adaptée aux changements et continuait à prospérer.

Pour assurer le développement de son entreprise, l'inventeur estime cependant essentiel de concevoir et de commercialiser des véhicules tout-terrain plus versatiles et plus performants. Cette stratégie s'avèrera des plus rentable.

Cette année-là, Joseph-Armand Bombardier parachève deux inventions majeures qui lui permettront dorénavant de fabriquer des véhicules tout-terrain de haute gamme. Ainsi s'amorce l'ère des véhicules industriels.

Ces deux inventions consistent en un vulcanisateur, grâce auquel la compagnie Bombardier pourra équiper ses véhicules de chenilles sans fin, et un barbotin tout caoutchouc incassable et indéformable. Ces deux nouveaux éléments permettront à Joseph-Armand de produire une série de solides véhicules tout-terrain très performants, dont les Muskeg.

Conçu à l'origine pour l'exploration pétrolière dans les marécages de l'Ouest canadien, le Muskeg s'avèrera un des meilleurs véhicules jamais fabriqués par L'Auto-Neige Bombardier.

Joseph-Armand parlera du Muskeg comme de sa «plus grande réussite».

La caractéristique la plus importante du Muskeg est sans aucun doute la faible pression qu'il exerce au sol. Ce tracteur peut donc circuler dans des endroits périlleux pour l'homme, d'où son nom «Muskeg» qui signifie marécage en amérindien.

Plusieurs modèles seront fabriqués, mais ils seront tous munis de barbotins tout caoutchouc et de chenilles sans fin. Dès 1953, le Muskeg sera vendu partout dans le monde.

D'une très grande versatilité, ce véhicule sera utilisé, entre autres, pour chercher du pétrole, récolter des roseaux dans le delta du Danube, transporter des skieurs dans les Alpes, déblayer les routes du Sahara, installer une pipeline en Écosse, ou véhiculer les membres de l'expédition de Sir Vivian Fuchs en Antarctique.

Désormais, Joseph-Armand Bombardier équipera tous ses véhicules industriels de chenilles sans fin et de barbotins tout caoutchouc.

En 1954, l'inventeur fabrique un nouveau tracteur, le J5, plus petit et plus puissant que le Muskeg. Joseph-Armand destine ce tracteur à l'exploitation forestière.
Il s'avèrera cependant tout aussi pratique pour déneiger les trottoirs.

Joseph-Armand le modifie à cette fin et, en 1955, produit le J5 SW qui finalement deviendra le célèbre SW. Ce véhicule est encore utilisé de nos jours pour le déneigement des trottoirs dans plusieurs villes de l'Amérique du Nord.

Dans le but de répondre plus adéqua-
tement aux besoins de l'industrie
forestière, Joseph-Armand Bombardier
modifie son Muskeg et, en 1957, met
sur le marché le Muskeg Carrier HDW.
Équipé d'une plate-forme et d'un treuil
pour le chargement des cordes de
bois en forêt, le HDW sera très apprécié
des travailleurs forestiers, et tout comme
le Muskeg et le J5, il contribuera à la
mécanisation de la coupe du bois.

L'inventeur s'intéresse par la suite à la mécanisation des opérations forestières. Entre 1957 et 1961, il met au point plusieurs prototypes de tronçonneuse ébrancheuse.

Puis, en 1961, il conçoit un prototype plus perfectionné, la débusqueuse VFB, appelé aussi «Steel Lumberjack». Aux commandes de cette machine, un seul opérateur peut couper des arbres entiers et les transporter dans un rayon d'un kilomètre.

Malheureusement, l'inventeur est décédé avant d'avoir pu mettre son VFB sur le marché. Il a obtenu néanmoins deux brevets d'invention pour ce véhicule décrit à l'époque comme une merveille technologique.

Selon des experts en foresterie, si Joseph-Armand avait eu le temps de mener à terme son projet, il aurait révolutionné les techniques d'exploitation forestière, au même titre qu'il avait transformé les moyens de transport en hiver.

Le véhicule de rêve

Dès le début des années cinquante, des moteurs compacts et légers ont fait leur apparition sur le marché permettant à Joseph-Armand Bombardier de se consacrer de nouveau à la réalisation d'un véhicule léger à un ou deux passagers.

Tout en travaillant à la fabrication de ses véhicules industriels, il consacre aussi temps et énergie à la conception de chenillés plus petits et plus légers. Au cours des années 1957 et 1958, il met au point plusieurs prototypes d'autoneiges qu'il met lui-même à l'essai. L'inventeur pressent que son rêve de jeunesse est à sa portée.

Durant l'hiver 1958-1959, Joseph-Armand perfectionne un modèle qui répond à ses exigences.

L'autoneige miniature est aussitôt mise en production. Ce petit véhicule pèse 150 kilos. Propulsé par un moteur Kohler à 4 temps, il peut se déplacer sur la neige à une vitesse maximale de 24 km/h.

Au cours de l'année 1959-1960, L'Auto-Neige Bombardier Limitée produit 225 Ski-Doo faisant de ce véhicule la première motoneige à être commercialisée. Le Ski-Doo connaît aussitôt une popularité phénoménale. Toutefois, comme Joseph-Armand Bombardier n'est pas homme à s'endormir sur ses lauriers, il continue de perfectionner sa motoneige.

Bien qu'il soit relativement satisfait du moteur Kohler, celui-ci ne répond pas à toutes ses exigences. Il poursuit donc ses recherches et, en 1963, il arrête son choix sur le moteur autrichien Rotax, utilisé encore de nos jours par la compagnie.

Cette motoneige Ski-Doo au châssis tout aluminium est un modèle Chalet de 1964, fabriqué spécialement par l'inventeur pour son épouse.

À l'arrière-plan, on aperçoit des presses hydrauliques conçues par Joseph-Armand pour les besoins de son entreprise.

Entre 1959 et 1964, plus de 8 000 Ski-Doo sortent des usines de Valcourt.

En réalisant son rêve, Joseph-Armand Bombardier a transformé notre façon de vivre en hiver. La création de ce nouveau mode de transport sur la neige en fit l'un des principaux artisans d'une nouvelle industrie et d'un nouveau sport.

Joseph-Armand Bombardier, l'homme

Dès son jeune âge, Joseph-Armand se passionne pour la mécanique. Cet engouement se manifeste, entre autres, dans la fabrication de jouets. En 1920, alors qu'il n'est âgé que de treize ans, il fabrique un tracteur à partir de vieux mécanismes d'horlogerie. En 1921, il construit un bateau, toujours avec de vieux mécanismes d'horlogerie, mais aussi avec du bois provenant de caisses d'emballage.

La même année, il fabrique un canon avec un vieux fusil que lui donne le père d'un ami de qui il obtient également de la poudre à canon. Il fera tonner son dangereux jouet une seule et unique fois !

En 1922, il construit un moteur à vapeur à l'aide de pièces provenant d'une vieille machine à coudre. Au cours d'une expérimentation, il fixe ce moteur au rouet de sa tante Marie. Il l'actionne en y injectant de l'air comprimé provenant d'une chambre à air alimentée par une pompe manuelle. Le système se met à fonctionner et le rouet tourne de plus en plus vite, sous les regards inquiets de la tante Marie.

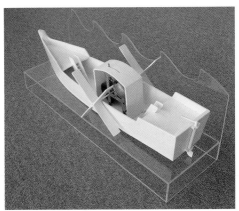

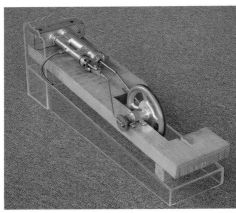

Citoyen engagé, Joseph-Armand Bombardier participe activement à la vie communautaire de Valcourt.

Il est membre de la chorale de la paroisse de 1926 jusqu'à sa mort. En 1927, il est élu échevin. En 1949, il fonde le Conseil 3207 des Chevaliers de Colomb de Valcourt.

Généreux et dévoué, il encourage des organismes locaux, dont la Chambre de commerce des jeunes et participe à la création d'une fanfare et d'un club de hockey.

Fervent catholique, il participe assidûment aux activités paroissiales. En 1950, à l'occasion de l'Année Sainte, il fait ériger la croix lumineuse qui surplombe toujours Valcourt.

En 1959, il reçoit le titre de Chevalier de l'Ordre de Saint-Grégoire-le-Grand, en reconnaissance de son dévouement envers l'Église.

Sur notre photo de gauche on voit Joseph-Armand Bombardier et son épouse, Yvonne Labrecque, à l'occasion de leur mariage, le 7 août 1929, et à droite, les époux, quelque vingt ans plus tard, lors d'une réception des Chevaliers de Colomb.

Joseph-Armand et Yvonne eurent six enfant mais l'un d'eux, Yvon, mourut à l'âge de deux ans.

C'est dans la maison familiale de Valcourt qu'ils élevèrent leur petite famille.

Sur notre photo prise en 1946, on reconnaît, dans l'ordre habituel, Germain, André, Huguette, Claire, Janine, Yvonne et Joseph-Armand.

En bas, on aperçoit André, le cadet de la famille, près de l'autoneige que son père lui avait fabriquée à l'occasion de son 10e anniversaire de naissance. Cette autoneige fait partie de la collection du Musée.

L'inventeur mourut d'un cancer à l'âge de 56 ans, le 18 février 1964.

Quelques jours avant sa mort, Joseph-Armand rédige cette lettre qui démontre bien la véritable nature de l'inventeur qui était un citoyen engagé, un fervent catholique et un grand philanthrope.

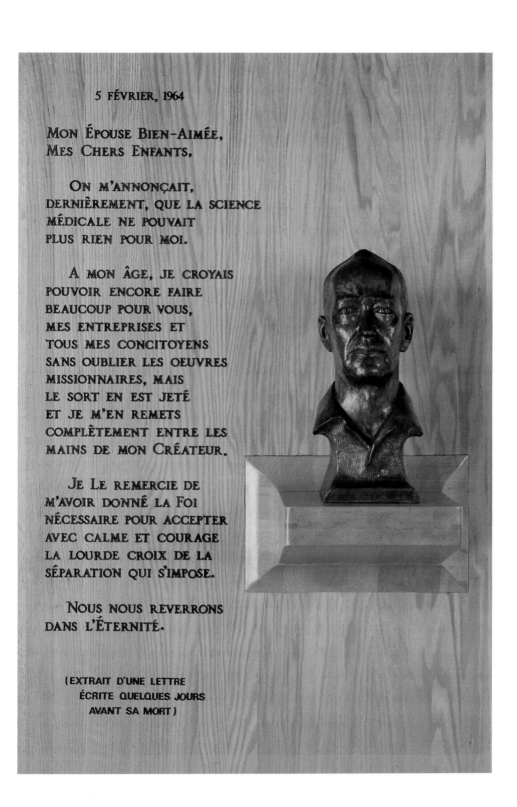

5 FÉVRIER, 1964

MON ÉPOUSE BIEN-AIMÉE,
MES CHERS ENFANTS,

ON M'ANNONÇAIT,
DERNIÈREMENT, QUE LA SCIENCE
MÉDICALE NE POUVAIT
PLUS RIEN POUR MOI.

A MON ÂGE, JE CROYAIS
POUVOIR ENCORE FAIRE
BEAUCOUP POUR VOUS,
MES ENTREPRISES ET
TOUS MES CONCITOYENS
SANS OUBLIER LES OEUVRES
MISSIONNAIRES, MAIS
LE SORT EN EST JETÉ
ET JE M'EN REMETS
COMPLÈTEMENT ENTRE LES
MAINS DE MON CRÉATEUR.

JE LE REMERCIE DE
M'AVOIR DONNÉ LA FOI
NÉCESSAIRE POUR ACCEPTER
AVEC CALME ET COURAGE
LA LOURDE CROIX DE LA
SÉPARATION QUI S'IMPOSE.

NOUS NOUS REVERRONS
DANS L'ÉTERNITÉ.

(EXTRAIT D'UNE LETTRE
ÉCRITE QUELQUES JOURS
AVANT SA MORT)

La réussite d'un entrepreneur

Joseph-Armand Bombardier aimait passionnément la vie et le travail. Comme tous les grands de ce monde, il avait compris que le talent, si remarquable soit-il, ne mène nulle part sans le travail.

Au total, il a obtenu 24 brevets d'invention canadiens, 16 brevets américains et 1 brevet britannique, preuves irréfutables de son exceptionnel génie.

Joseph-Armand Bombardier a été l'un des rares inventeurs à réussir comme entrepreneur. À sa mort, ses successeurs ont brillamment pris la relève.

Les espoirs qu'avaient fondés Joseph-Armand dans la poursuite de son oeuvre se sont réalisés. Le nom Bombardier est aujourd'hui synonyme de réussite.

TÉLÉPHONE 30

L'AUTO-NEIGE BOMBARDIER

FABRICANT DE L'AUTO-NEIGE, BREVET No 367104

•

VALCOURT, QUÉ.

1942

1950

1959

1965

1979

1989

Le Garage Bombardier

C'est en 1926 que l'inventeur, alors âgé de 19 ans, débute sa carrière d'inventeur et d'entrepreneur dans ce garage que son père lui a construit.

Le garage original de Joseph-Armand Bombardier a été complètement restauré avant d'être annexé au Musée à titre de bâtiment historique en 1969.

On y retrouve son bureau, le magasin de pièces, ainsi que diverses machines-outils que l'inventeur avait modifiées ou fabriquées pour les besoins de son entreprise.

En 1988, les responsables du Musée y
ont aménagé une salle polyvalente à
l'intention des visiteurs tout en s'assurant
de lui conserver son caractère historique.

L'Exposition internationale sur la motoneige

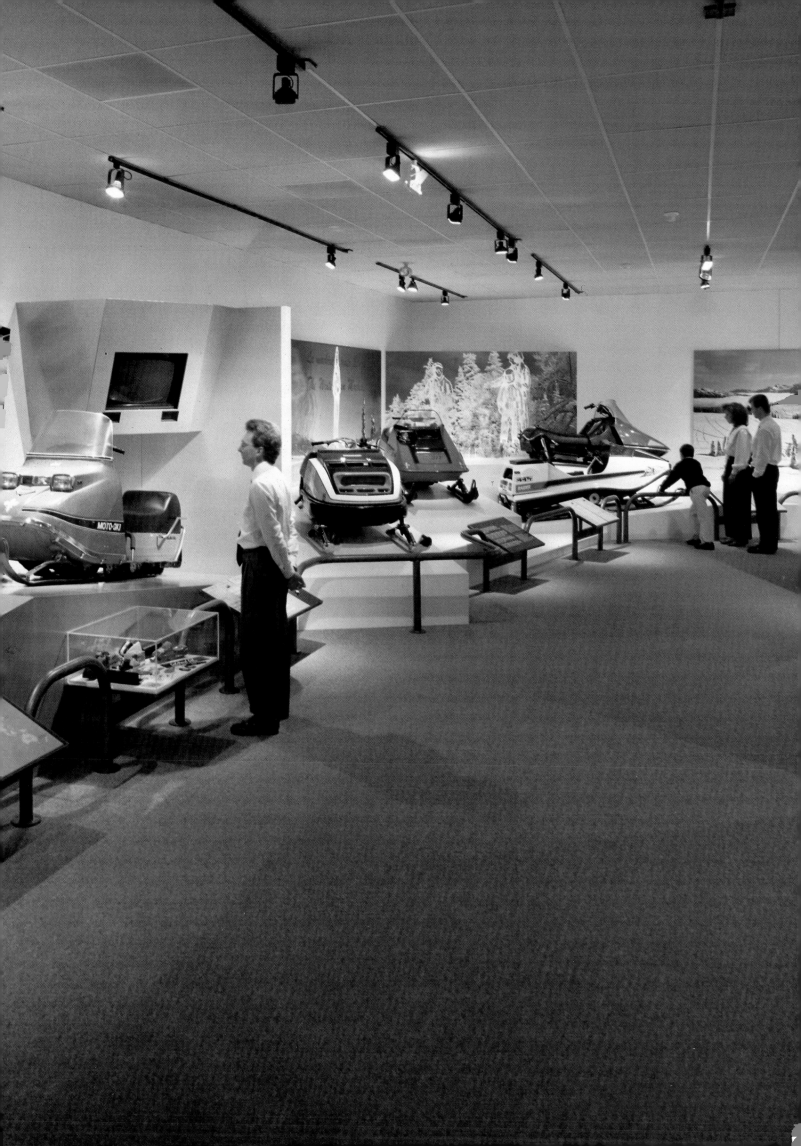

La belle petite machine

La motoneige a donné naissance à une industrie, dont les pionniers sont, notamment, L'Auto-Neige Bombardier Limitée, aujourd'hui Bombardier Inc., et la compagnie américaine Polaris Industries Inc.

Sur notre photo, à gauche, on aperçoit un Ski-Doo de Bombardier, modèle de 1960, et à droite, un Sno-Traveler de Polaris, modèle de 1962.

Légère, fiable, rapide, la motoneige est sans contredit une petite machine fantastique que rien n'arrête... ou presque. Mais elle est plus encore!

C'est une **machine à sous,** car elle a donné naissance à une industrie qui, depuis le début des années soixante, injecte des milliards de dollars dans l'économie des pays de la «ceinture de neige».

C'est une **machine à jouer dehors,** car elle a créé un sport qui compte aujourd'hui des milliers d'adeptes.

C'est une **machine à coudre,** car pour faire de la motoneige, il faut être vêtu en conséquence, d'où l'émergence d'une industrie du vêtement pour motoneigistes.

C'est bien sûr une **machine utile,** car pour un bon nombre d'habitants des pays de l'hiver, elle est devenue une nécessité.

Enfin, c'est aussi une **machine à champions,** utilisée comme véhicule de courses et comme machine à exploits.

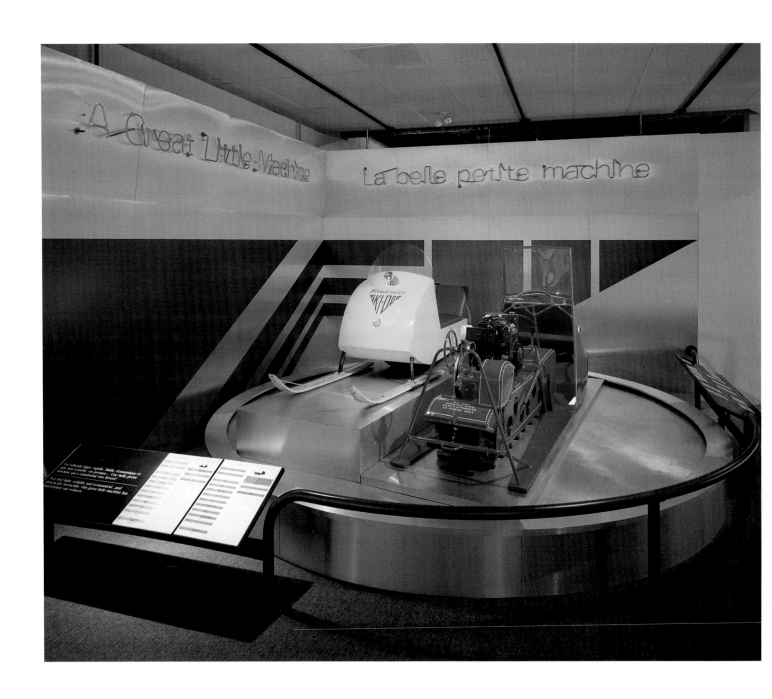

Les pays de l'hiver

Un pays de l'hiver est généralement défini comme un endroit où la température moyenne de janvier se situe sous 0° C. Dans l'hémisphère nord, vingt-sept pays habités par plus d'un milliard de personnes répondent à cette description.

Bien sûr, l'hiver n'est pas le même partout. Les Bostonnais se retrouvent plus souvent dans la gadoue que les Montréalais. À Oslo, les journées sont beaucoup plus courtes qu'à Québec, même s'il y fait plus chaud. Et certaines années, il n'y a pas de neige à Berlin ou à Stockholm, ou même à Toronto.

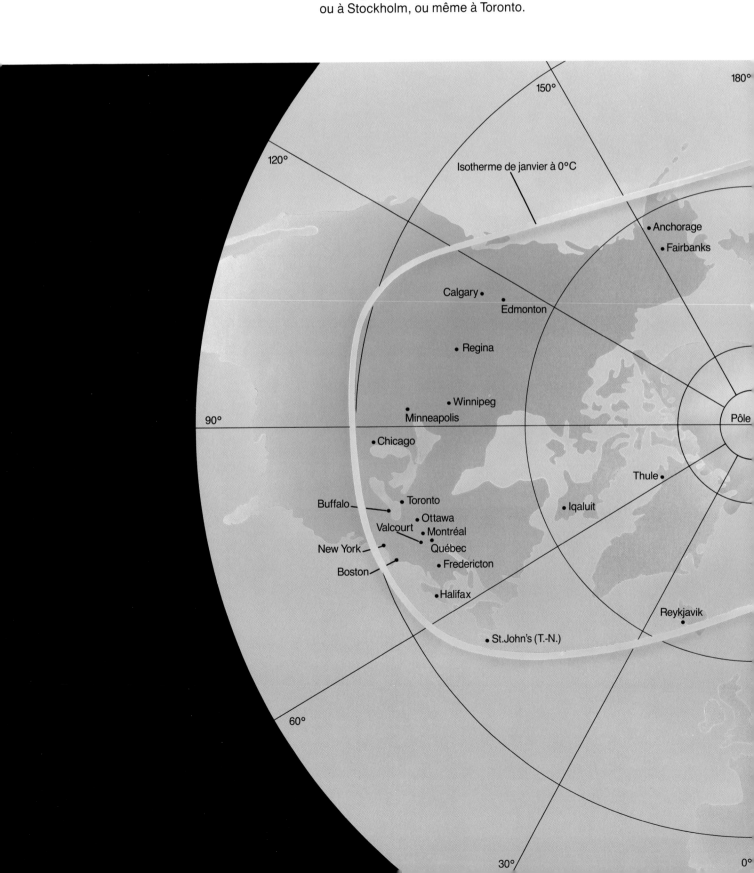

À la conquête de la planète blanche

Pour tous les habitants des pays de l'hiver, se déplacer sur la neige a toujours été une question de survie. De tout temps, il leur a fallu faire preuve de beaucoup d'ingéniosité, et parfois même d'un brin de folie, pour mettre au point des moyens de transport de plus en plus efficaces. L'invention de la motoneige, dans les années cinquante, cette **belle petite machine** qui a transformé nos hivers, est venue couronner des années d'efforts et de recherches.

2
Puis, la force animale pousse les humains plus vite et plus loin. Dans chaque pays de l'hiver, on réussit à domestiquer au moins une espèce.

1
Au début, les habitants de l'hiver se déplacent à force de muscles. Raquettes, skis et traîneaux leur servent à chercher la nourriture et à rompre l'isolement de la saison blanche.

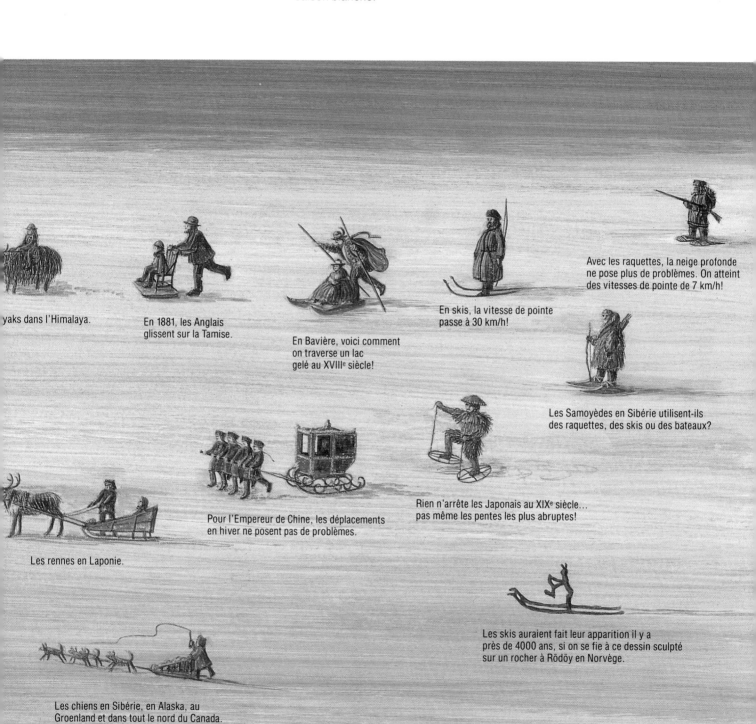

...yaks dans l'Himalaya.

En 1881, les Anglais glissent sur la Tamise.

En Bavière, voici comment on traverse un lac gelé au XVIIIe siècle!

En skis, la vitesse de pointe passe à 30 km/h!

Avec les raquettes, la neige profonde ne pose plus de problèmes. On atteint des vitesses de pointe de 7 km/h!

Les Samoyèdes en Sibérie utilisent-ils des raquettes, des skis ou des bateaux?

Pour l'Empereur de Chine, les déplacements en hiver ne posent pas de problèmes.

Rien n'arrête les Japonais au XIXe siècle... pas même les pentes les plus abruptes!

Les rennes en Laponie.

Les skis auraient fait leur apparition il y a près de 4000 ans, si on se fie à ce dessin sculpté sur un rocher à Rödöy en Norvège.

Les chiens en Sibérie, en Alaska, au Groenland et dans tout le nord du Canada.

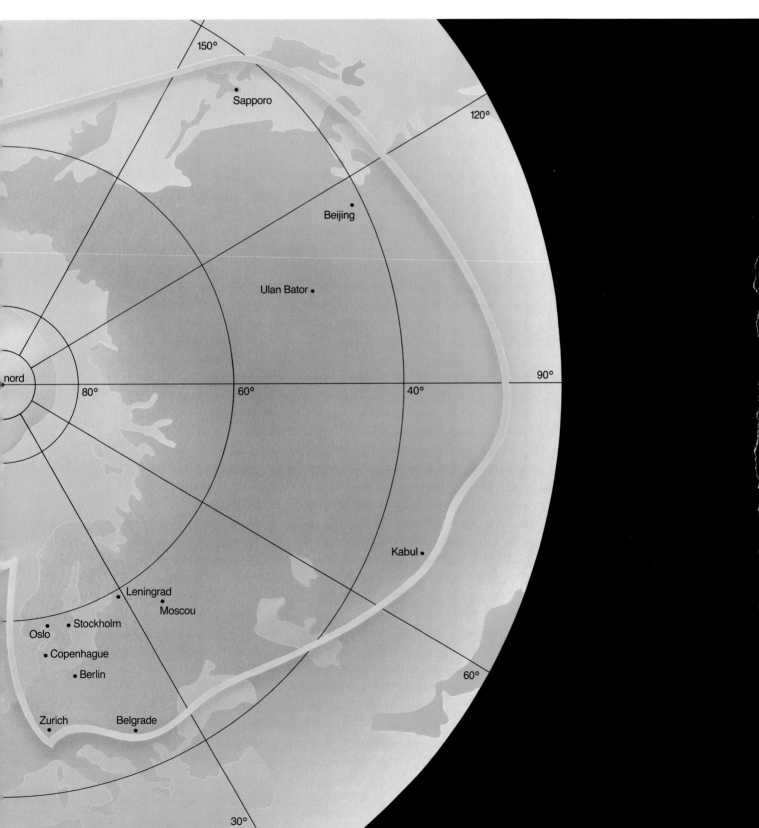

150°

Sapporo

120°

Beijing

Ulan Bator •

nord

80°   60°   40°   90°

Kabul •

• Leningrad

Moscou

• Stockholm

Oslo

• Copenhague

• Berlin

60°

Zurich   Belgrade

30°

4
L'avènement du moteur à explosion va révolutionner le transport sur la neige. Véhicules sur skis ou sur roues, propulsés par des roues dentées, des vis sans fin, des chenilles, des hélices et même des turbines à air: toutes les solutions sont essayées deux fois plutôt qu'une!

3
Toujours en quête de progrès, le génie humain conçoit des systèmes parfois farfelus et pas nécessairement efficaces. Mais rien ne peut arrêter l'imagination ni la créativité des inventeurs qui rêvent de la machine parfaite.

...ek

Vers 1907, un véhicule d'avant-garde, équipé à la fois de skis, d'une hélice et d'une vis sans-fin.

1907: Belton B. Hamilton met au point un véhicule tout-chenille.

En 1851, le capitaine H. T. Austin utilise des voiles et des cerfs-volants lors de sa traversée de l'Île Melville dans l'Arctique canadien.

Et même des dromadaires en Sibérie!

Les

...llemand muni de
...r des roues à
...ateaux à vapeur.

1907: Le lieutenant Shackleton modifie une automobile Arrol-Johnston. Les skis sont amovibles et les roues arrière ont plutôt l'air de roues d'engrenage. Le lieutenant se rend à 150 km du Pôle Sud avec cette machine.

Vous auriez peut-être préféré le tandem???

Les chevaux dans tous les pays de l'hiver.

Un ski à la place de la roue avant et, à l'arrière, une roue à crampons: le dernier cri de la bicyclette tout terrain allemande, en 1896.

5
Bien que certains véhicules soient très performants, les inventeurs rêvent toujours de développer un petit véhicule qui passe partout. Quelques essais se révèlent prometteurs, mais il faudra attendre les années 50 pour qu'apparaisse enfin cette belle petite machine.

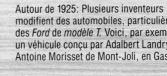

Dans les années 40: E. M. Tucker met au point les *Sno-Cat* que Sir Vivian Fuchs utilisera pour traverser l'Antarctique en 1957. Des tracteurs *Muskeg* de Bombardier feront aussi partie de l'expédition.

1941: Fort des succès du *B7,* Joseph-Armand Bombardier fabrique le *B12,* un véhicule capable de transporter 12 personnes à une vitesse de croisière de 60 km/h.

1911: Le comte pense à l'hélic Il ne sera pas le

Autour de 1925: Plusieurs inventeurs modifient des automobiles, particulièrement des *Ford* de *modèle T.* Voici, par exemple, un véhicule conçu par Adalbert Landry et Antoine Morisset de Mont-Joli, en Gaspésie.

Pendant l'hiver 1954-1955, les frères Edgar et Allen Hetteen et leur associé David Johnson fabriquent, au Minnesota, le premier *Polaris Sno Traveler* en s'inspirant de quelques idées d'Eliason. Quelques exemplaires de ce véhicule, connu aussi sous le nom d'*Autoboggan,* seront vendus à des fins utilitaires.

À l'automne 1958, Joseph-Armand Bombardier réalise un vieux rêve et met au point le prototype du véhicule qui deviendra le *Ski-Doo.* L'hiver suivant, il produira 225 exemplaires du *Ski-Doo,* faisant ainsi de ce véhicule la première motoneige récréative produite en grande quantité.

Un précurseur, Carl J. Eliason, obtient en 1927 un brevet pour ce toboggan motorisé, dont la propulsion est assurée par une chenille. Au cours des cinq années suivantes, il en vendra 40, au prix de 360 $ l'unité.

1908: Un véh skis et propu aubes comme

1911: Le grand duc Cyrille de Russie a recours à la turbine à air. Il aurait atteint avec cet engin la vitesse de 70 km/h! Il ne manquait que les ailes!

1934: Joseph-Armand Bombardier conçoit un véhicule relativement léger aux lignes aérodynamiques.

La machine à sous

La motoneige est une véritable machine à sous. Elle a donné naissance à une industrie qui, depuis les trois dernières décennies, emploie des milliers de personnes et injecte plusieurs milliards de dollars dans l'économie.

De 1959 à 1969, la croissance de cette industrie est rapide et plusieurs compagnies se lancent dans la course.

Pour répondre à la demande croissante, tout en demeurant concurrentiels, les fabricants de motoneiges doivent continuellement revoir leur niveau de production, de même que leur stratégie de marketing et de vente.

La fabrication en série de motoneiges exige une organisation d'envergure et bien structurée.

Bien que les modèles de motoneiges soient rapidement devenus très sophistiqués, les techniques de fabrication ont pour leur part été constamment simplifiées.

Avec la venue de l'informatique, la durée du processus de fabrication est passée de cinq ans à environ deux ans.

Les pressions de plus en plus fortes inhérentes à la concurrence ont tôt fait de forcer les fabricants à accélérer leurs recherches afin d'être en mesure de mettre sur le marché en un temps record des véhicules encore plus performants.

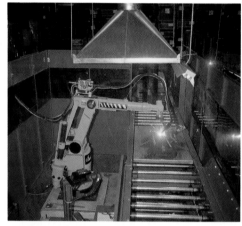

Le visionnement d'une bande vidéo
permet aux visiteurs de se renseigner et
de se documenter sur tout le processus
de fabrication d'une motoneige, depuis
les études de marché jusqu'à l'expédition.

En 1959, dans la petite ville de Valcourt, au Québec, L'Auto-Neige Bombardier produit 225 motoneiges Ski-Doo. C'est la naissance d'une nouvelle industrie.

En 1969, dix ans après la commercialisation de la première motoneige, la production mondiale se chiffre à 265 000 unités par année. La concurrence devient féroce, les profits sont considérables et tous les espoirs sont permis.

Entre 1969 et 1973, l'industrie atteint son apogée. Plus de cent fabricants se partagent le marché pour une production totale de 1 855 000 motoneiges au cours de cette période.

Afin de faire face à la concurrence, les fabricants rivalisent d'ingéniosité et multiplient les innovations pour se maintenir à la fine pointe du progrès. Sur le plan technologique, l'industrie fait des bonds spectaculaires.

Les motoneiges de la collection du Musée ont été choisies en fonction de leurs apports technologiques à l'industrie. Chaque modèle présente une innovation qui lui est propre et qui constitue une première dans l'industrie au moment de sa mise en marché. De plus, les fabricants des pays producteurs, en l'occurrence le Canada, les États-Unis, la Scandinavie, la Russie et le Japon, y sont représentés.

Le Hus-Ski, modèle de 1963, fabriqué par la compagnie québécoise Hus-Ski Inc., est la première motoneige conçue comme un tracteur. Elle possède deux chenilles, n'a pas de suspension et son groupe propulseur est indépendant des passagers.

Le Snow Cruiser, modèle de 1965, fabriqué par la firme américaine Outboard Marine Corp., est la première motoneige à être munie d'un moteur à deux temps, deux cylindres opposés, fonctionnant simultanément.

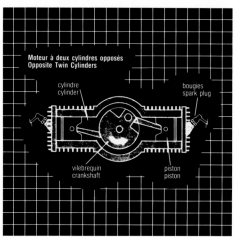

En 1966, la compagnie américaine Arctic Cat révolutionne l'industrie en introduisant son modèle Panther au châssis tout aluminium riveté. Ce type de châssis sera adopté rapidement par plusieurs autres fabricants.

La compagnie américaine Sno-Pony innove en lançant son modèle Colt de 1968, équipé d'une suspension avant faite d'une lame transversale unique qui relie les deux skis.

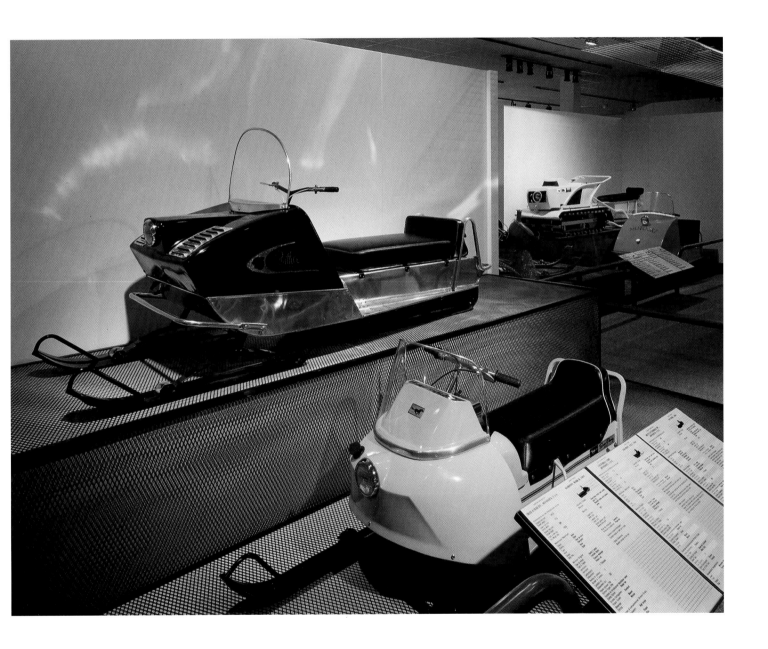

Les hauts et les bas de l'industrie

Après avoir connu un départ fulgurant, l'industrie de la motoneige a connu des hauts et des bas.

De 1959 à 1969, la prospérité semblait assurée, mais dès 1973, une tendance à la baisse s'installe faisant chuter brutalement la production et les ventes de plus de la moitié durant les années suivantes.

D'autres facteurs, comme la crise du pétrole, la protection de l'environnement, la diminution marquée de la consommation de biens de luxe en périodes de récession, une recrudescence de l'activité physique, de même que des hivers sans neige, influenceront également les ventes.

À partir de 1983, la situation se rétablit. La fin de la récession et des hivers enneigés permettent à l'industrie de se redresser.

Aujourd'hui, en 1991, quatre grands fabricants se partagent le marché de la motoneige. Il s'agit de Arctco, créé par les anciens employés de Arctic Entreprises, Bombardier, Polaris et Yamaha. Ces entreprises misent, pour l'avenir, sur leur expertise, une technologie de pointe, des hivers blancs et un sport de mieux en mieux organisé.

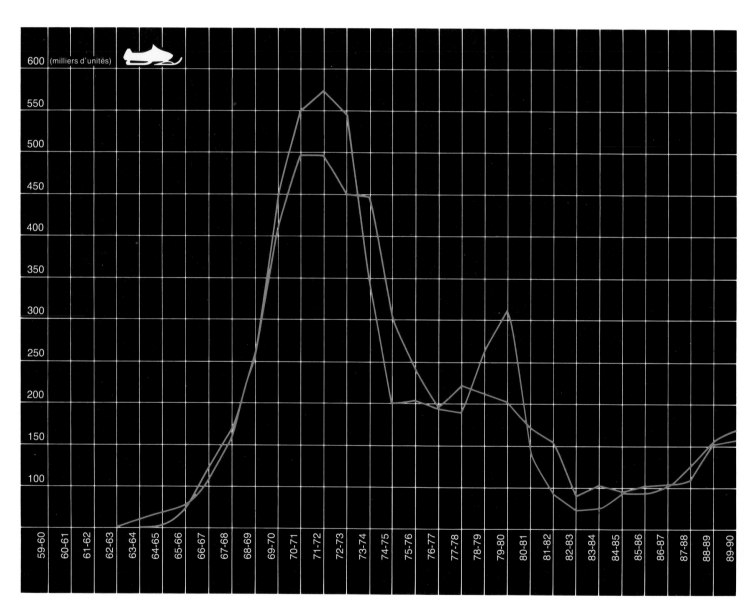

Les ventes au détail et la production (1959 à 1990)

■ Les ventes au détail

▨ La production

Bien que la motoneige ait fait l'objet de nombreuses innovations technologiques au cours des trois dernières décennies, elle demeure un véhicule de maniement simple et à la portée de tous.

Ses composantes sont les mêmes aujourd'hui qu'il y a trente ans à la différence près que la mécanique en est beaucoup plus complexe.

Ce tableau lumineux explique avec précision aux visiteurs les sept composantes de base d'une motoneige : le système de direction, la suspension avant, la suspension arrière, le moteur, le système d'entraînement, les freins et le système électrique.

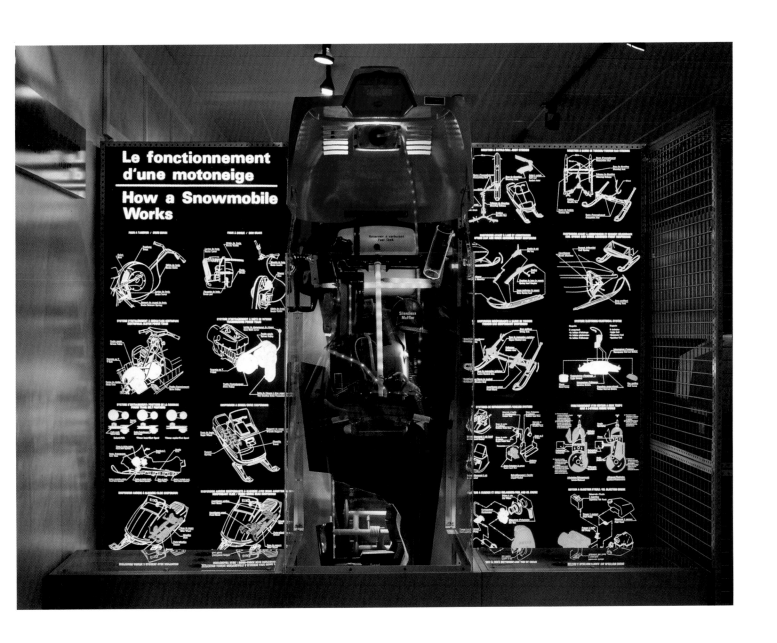

Depuis les débuts de l'industrie, la lutte pour détenir une part enviable du marché a toujours été vive entre les fabricants.

Pour se positionner sur un marché fort concurrentiel, ils n'ont eu en fait d'autres choix que celui de proposer aux clients une motoneige offrant le meilleur rapport qualité/prix.

Mais on peut bien fabriquer la meilleure motoneige au monde, encore faut-il la vendre !

À cette fin, chaque fabricant procède à des études de marché et élabore des stratégies et des programmes de promotion, de publicité et de ventes.

Le marketing est déterminant dans le processus de fabrication des motoneiges. À la lumière des études de marché, les spécialistes en marketing rédigent un cahier de spécifications en fonction de la performance souhaitée et de la clientèle visée, et fixe déjà, à ce stade, les objectifs de vente.

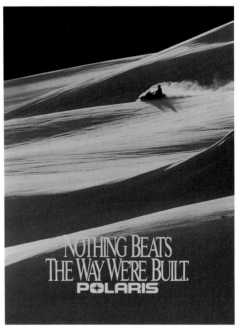

Les fabricants investissent chaque année d'importantes sommes d'argent dans la création et la production d'outils de promotion, d'affiches, d'annonces, de dépliants et de réclames publicitaires, dans le but d'inciter le consommateur à acheter la motoneige dont on aura le mieux vanté les mérites.

Un des modèles les plus populaires fut sans contredit le Ski-Doo Olympique de Bombardier. Entre 1964 et 1979, il s'en vendit 265 000 unités.

On reconnaît ici le modèle de 1970. La même année, la compagnie québécoise Moto-Ski innovait en mettant sur le marché son modèle Grand Prix dont l'apport technologique consistait en une chenille de caoutchouc à triple épaisseur garnie de crampons d'acier recouverts eux aussi de caoutchouc. Ce modèle fut également fort apprécié des motoneigistes à l'époque.

Depuis 1959, près de 200 fabricants de toutes les régions enneigées du globe ont fabriqué autant de modèles de moto-neiges qui ont tous fait l'objet de programmes de publicité et de promotion.

Plusieurs d'entre eux sont demeurés en affaires une année seulement. Mais Bombardier et Polaris sont là depuis les tout débuts.

Aujourd'hui, des fabricants américains, canadiens, japonais, scandinaves et soviétiques se partagent le marché à l'intérieur de vingt pays répartis sur les cinq continents. Ce marché se situe principalement en Amérique du Nord, en Europe de l'Est et de l'Ouest, ainsi qu'au Japon.

Des ventes dans le monde entier

La machine à jouer dehors

La motoneige, c'est aussi une machine à jouer dehors. Dès son apparition sur le marché, elle a rapidement donné naissance à un sport pratiqué partout dans les pays de la «ceinture de neige», mais surtout en Amérique du Nord.

Depuis les débuts, les fabricants se livrent une lutte acharnée pour fabriquer le véhicule sportif le plus performant, le plus compétitif, le plus attrayant et le plus fiable, tout en offrant les innovations technologiques les plus spectaculaires.

En 1973, la compagnie américaine Brutanza Engineering Inc. lance son modèle Brut LC 44, équipé d'un nouveau moteur à trois cylindres refroidi par liquide.

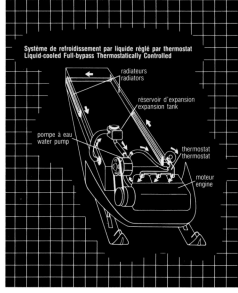

La même année, la compagnie québécoise Skiroule innove également en dotant son nouveau modèle RXT d'une suspension arrière munie d'amortisseurs localisés à l'extérieur du châssis.

Le modèle Raider, Eagle 44TT de 1974, du fabricant américain Leisure Vehicles, présente quant à lui plusieurs caractéristiques, dont un groupe propulseur situé à l'arrière et un entraînement central. Mais, ce qui distingue particulièrement ce véhicule est sans aucun doute sa conception originale pour l'époque puisque le conducteur prend place dans l'habitacle de la motoneige, alors que le passager est assis quant à lui sur un coussin fixé au capot arrière.

C'est en 1959 qu'était fabriqué à Val-court, au Québec, le premier Ski-Doo de L'Auto-Neige Bombardier Limitée. Quatorze ans plus tard, en 1973, cette compagnie, devenue Bombardier Limitée, fabriquait sa millionième motoneige, un modèle T'NT Everest.

La plupart des motoneiges fabriquées depuis les débuts de l'industrie ont été utilisées à des fins récréatives. L'engouement pour le sport de la motoneige a grandement contribué à la relance du tourisme hivernal dans plusieurs régions.

Ce Spitfire de 1978, du fabricant américain John Deere, fut l'un des modèles très appréciés des motoneigistes. La nouveauté de ce véhicule résidait dans un entraînement direct sans carter de chaîne.

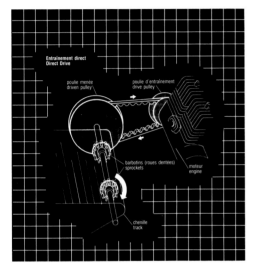

Une autre motoneige qui a beaucoup plu à l'époque est ce modèle Élite de Bombardier de 1980. Il s'agit d'un véhicule récréatif de luxe dans lequel deux passagers peuvent s'asseoir côte à côte, comme dans une automobile.

Également apprécié des sportifs, ce modèle plus récent, le Mach I de Bombardier de 1989, muni du système RAVE («Rotax Automatic Valve Exhaust»). Il s'agit d'un moteur à valve automatique à échappement variable, une première dans l'industrie.

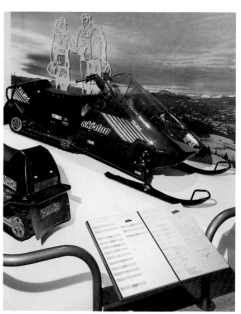

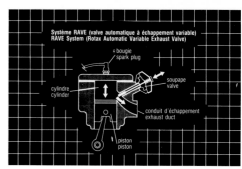

Ce modèle Phazer de 1984, fabriqué par
la compagnie japonaise Yamaha, est
la première motoneige munie d'un capot
en trois sections démontables, facilitant
l'accès aux composantes mécaniques.
Le Phazer est inspiré du concept
du modèle Super Brute de 1974 de la
compagnie québécoise Alouette.

Au cours des années, la motoneige est devenue de plus en plus fiable. Et pour cause, car la sécurité constitue désormais la principale préoccupation de tous ceux qui s'intéressent à ce sport.

Le succès phénoménal qu'a connu le sport de la motoneige a vite fait ressentir le besoin chez les fabricants de coordonner leurs efforts afin de promouvoir la sécurité dans la pratique de ce sport.

L'«International Snowmobile Industry Association» fut fondée en 1965 à cette fin.

Cette association indépendante poursuit divers objectifs, dont la promotion du sport. De plus, elle définit des normes de fabrication et de qualité en vue d'assurer la sécurité des motoneigistes, la fiabilité des motoneiges et la protection de l'environnement.

Chaque fabricant doit établir par ailleurs ses propres normes de fiabilité et de qualité, car il en va aujourd'hui de sa compétitivité.

Il existe un autre organisme, le «Snowmobile Safety Council Committee» (SSCC), qui est responsable de la sécurité et de l'homologation des motoneiges. Le SSCC a comme mandat de définir les normes relatives à la pratique du sport. Ces normes ont trait, plus précisément, à la sécurité, à la résistance et à la durabilité des motoneiges, ainsi qu'à la protection de l'environnement.

Êtes-vous un motoneigiste averti ?

Ce jeu questionnaire renseigne les visiteurs sur une foule d'aspects, dont la signification des panneaux de signalisation, les vêtements à porter, le facteur température/vents, les réglementations, ainsi que sur les articles dont tout motoneigiste averti doit se munir lorsqu'il part en randonnée.

Les points obtenus en étonnent plusieurs. Certains sont ravis de découvrir qu'il font partie de la crème des motoneigistes. D'autres, par contre, doivent admettre qu'ils connaissent bien peu de choses sur le sport de la motoneige. Enfin, certains se demandent même comment ils ont réussi à revenir sains et saufs de leur randonnée en motoneige...

Les sentiers

Le sport de la motoneige naquit en même temps que l'industrie, ou presque… De plus en plus nombreux, les motoneigistes sentent rapidement le besoin de se regrouper et d'organiser leur sport. On assiste alors à la création de clubs et de réseaux de sentiers dans toutes les régions enneigées de l'Amérique du Nord, de la Scandinavie et de l'Islande.

Aujourd'hui, les motoneigistes peuvent compter sur une solide organisation de clubs, chapeautée par des fédérations actives, grâce auxquelles ils peuvent pratiquer leur sport en toute sécurité sur des sentiers bien aménagés.

Il existe des centaines de clubs agréés au Canada et dans plus de la moitié des états américains. Chaque club se rapporte à l'association ou à la fédération de sa province ou de son état.

Des associations nationales, comme le Conseil canadien de la motoneige et l'Association des motoneigistes d'Islande, assurent la liaison entre les clubs locaux ou régionaux.

Enfin, l'Association internationale de la motoneige regroupe l'ensemble des organisations nationales.

Les motoneigistes sont particulièrement choyés au Québec, que certains n'hésitent pas à appeler «le pays de la motoneige».

Les adeptes de la motoneige peuvent emprunter plus de 23 000 km de pistes balisées et entretenues, et effectuer des randonnées en toute sécurité dans toutes les régions du Québec.

Au Québec, comme aux États-Unis et en Scandinavie, ce sont les clubs de motoneigistes qui assurent l'entretien des sentiers. Ce sont eux aussi qui élaborent et implantent la réglementation régissant ce sport.

En bons sportifs, les motoneigistes aiment bien fraterniser entre eux. Il n'est donc pas étonnant qu'ils participent avec plaisir aux nombreux événements spéciaux organisés chaque hiver, au Québec et ailleurs. Randonnées de nuit, défilés, feux de joie et bien d'autres activités sont au menu de ces festivités qui rassemblent chaque année des dizaines de milliers de motoneigistes.

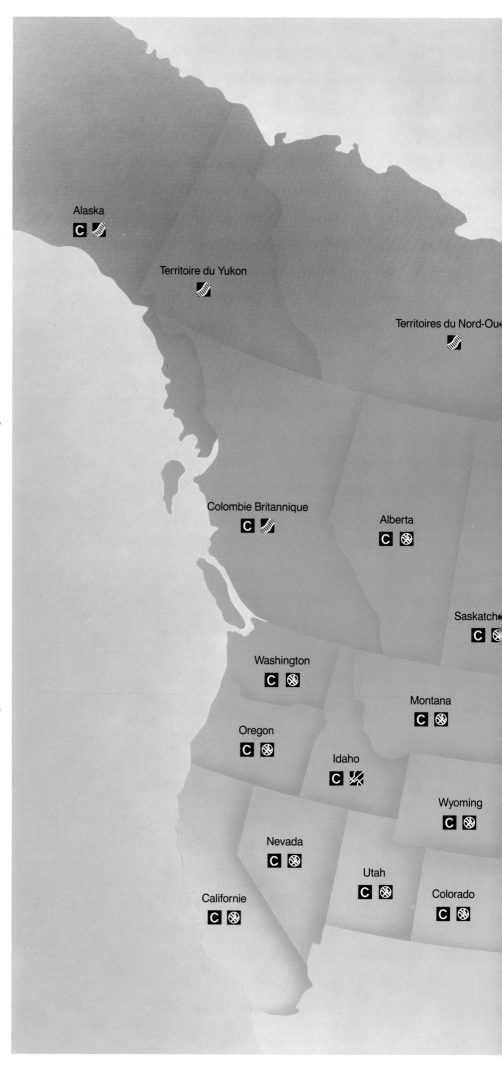

Le réseau des sentiers

Islande
C ⬚

Labrador
⬚

Terre-Neuve
◣

Québec
C ⬚

Île-du-Prince-Édouard ⬚

Nouveau-Brunswick
C ⬚

Maine
C ⬚

Nouvelle-Écosse
C ⬚

Manitoba
C ⬚

Ontario
C ⬚

du Nord
⬚

Minnesota
C ⬚

Vermont
C ⬚

New Hampshire **C** ⬚

Massachusetts **C** ⬚

Wisconsin
C ⬚

Michigan
C ⬚

New York
C ⬚

Connecticut ⬚

a du Sud
⬚

Iowa
C ⬚

Pennsylvanie
C ⬚

New Jersey
C ⬚

raska
⬚

Illinois
C ⬚

Indiana
C ⬚

Ohio
C ⬚

C Clubs de motoneigistes

⬚ Réseau de sentiers aménagés sur l'ensemble du territoire

⬚ Réseaux locaux de sentiers aménagés

◣ Sentiers de motoneige

La machine à coudre

La machine à jouer dehors a fait naître divers besoins, dont celui d'être chaudement vêtu, donnant lieu à la création et à la confection de vêtements appropriés à la pratique du sport.

Vers la fin des années soixante, l'industrie du vêtement pour motoneigistes s'est rapidement développée. Et c'est ainsi que le sport de la motoneige en est venu à se payer les caprices de la mode.

Oubliant le vieux parka à carreaux, les dessinateurs rivalisent de créativité, et parfois d'audace, pour créer des vêtements toujours plus seyants, plus chauds, plus légers, plus confortables et plus pratiques. Leurs recherches ont même influencé le vêtement d'hiver en général.

Un vaste choix de tissus en nylon enduit de polyuréthane, tels la rayonne faite de tissus recyclés, le tricot de polyester brossé, le tricot de nylon matelassé de polyester, et bien d'autres, ont fait leur apparition sur le marché.

Aujourd'hui, il existe aussi des tissus qui «respirent», c'est-à-dire qui laissent passer l'eau produite par la transpiration tout en assurant l'imperméabilité du vêtement.

Le confort thermique dépend surtout de
trois facteurs :
1) La production de la chaleur par le
corps, car l'intensité de chaleur varie
selon les activités ;
2) La température atmosphérique, car
l'intensité du froid augmente selon la
vitesse du vent et des déplacements ;
3) L'isolation des vêtements, car le
pouvoir isolant varie selon le type de
matériaux utilisés, leur poids par unité
de surface et leur épaisseur.

Il est donc important de tenir compte
de l'imperméabilité et de l'isolation d'un
vêtement de motoneige lors de son
achat.

Depuis trente ans, l'industrie du vêtement
d'hiver a subi de profondes transformations, particulièrement en Amérique
du Nord, afin de répondre plus adéquate-
ment aux besoins des motoneigistes.

La machine utile

La motoneige, c'est aussi, et sans contredit, une machine utile pour circuler sur la neige. C'est d'ailleurs à cette fin qu'un des pionniers de l'industrie, Joseph-Armand Bombardier, a initialement conçu sa motoneige Ski-Doo. Depuis sa mise en marché, la motoneige s'est avérée le moyen le plus sûr et le plus rapide de se déplacer aisément sur la neige.

Voilà pourquoi elle a vite remplacé les traîneaux à rennes et à chiens, facilitant la vie à ceux qui doivent voyager ou travailler en régions éloignées, souvent difficiles d'accès, peu habitées et enneigées presque douze mois par année.

Ceci est particulièrement vrai dans les pays du Grand Nord où les hivers sont tellement rigoureux que l'utilisation de la motoneige est devenue une nécessité. Dans certaines régions, dont la Scandinavie, la motoneige est utilisée presque exclusivement comme véhicule de travail.

Ce modèle Finncat de 1980, de fabrication finlandaise, est unique en ce qu'il ne comporte pas de skis. La direction est assurée grâce à un ingénieux système qui étire la chenille extensible d'un côté à l'autre, tel un accordéon.

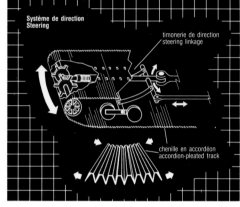

La motoneige est également utilisée dans les centres de ski et par les compagnies de téléphone et d'électricité dans les pays de l'hiver.

On aperçoit ici une motoneige Buran, modèle C-640 A1 de 1985, de fabrication soviétique. Muni d'un châssis en acier, d'un capot et d'une coque en fibre de verre, ce véhicule se distingue, notamment, par ses deux systèmes de freinage à disque et une boîte de vitesse avec marche arrière, point mort et marche avant.

Les motoneiges sont principalement utilisées en U.R.S.S. pour la surveillance frontalière.

À l'arrière-plan, on aperçoit un modèle Alpine utilisé par l'armée en Amérique du Nord, ainsi que dans les autres pays enneigés du globe. Ce véhicule est peint en blanc pour des raisons de camouflage. Le modèle Alpine est encore fabriqué de nos jours et il s'avère toujours aussi utile.

La motoneige est également appréciée des éleveurs de bétail et des fermiers qui s'en servent pour transporter des ballots de foin.

Le modèle Ski-Doo Alpine de 1963 de Bombardier, fut la première motoneige de travail à être équipée de deux chenilles de caoutchouc et d'un ski de direction.

Ce modèle Ockelbo 300, fabriqué en 1975 par Ockelbo Industrie AB de Suède, est le premier véhicule à être muni de bandes de caoutchouc sur les suspensions arrière et avant, assurant ainsi au véhicule une plus grande flexibilité.

Ce modèle offre également un espace de rangement sur le capot, sous le siège et à l'arrière du véhicule.

Conçue pour le travail, cette motoneige fut donc fabriquée en fonction de son utilisation d'où un véhicule très robuste et très résistant.

Bien que les équipements de déneigement soient de plus en plus efficaces, la motoneige s'avère parfois indispensable, même de nos jours, dans les villes et les campagnes.

Lors de violentes tempêtes, elle sert de véhicule de secours et de dépannage, car elle est le seul véhicule qui puisse circuler dans de telles conditions d'enneigement.

La machine à champions

À la conquête du Pôle Nord

La motoneige est également utilisée à d'autres fins, plus spectaculaires et plus audacieuses. Au même titre que la moto et l'automobile, la motoneige possède aussi des champions.

Des explorateurs l'ont utilisée lors d'expéditions périlleuses qui les ont conduits jusqu'au Pôle Nord. Les fanatiques de vitesse l'ont transformée en bolide de course. Des mordus d'exploits sportifs l'ont complètement modifiée pour en faire une machine extravagante.

Tous ont fait preuve de courage, de témérité et d'audace pour donner à la motoneige ses heures de gloire.

Au nombre des courageux figurent les membres de l'Expédition Plaisted, qui furent les premiers à se rendre jusqu'au Pôle Nord en motoneige.

Il s'agit de l'américain Ralph Plaisted, chef d'équipe, de Jean-Luc Bombardier, éclaireur, (Jean-Luc (1) est le neveu de Joseph-Armand), de Walt Pederson, ingénieur-mécanicien, et de Gérald Pitz, navigateur.

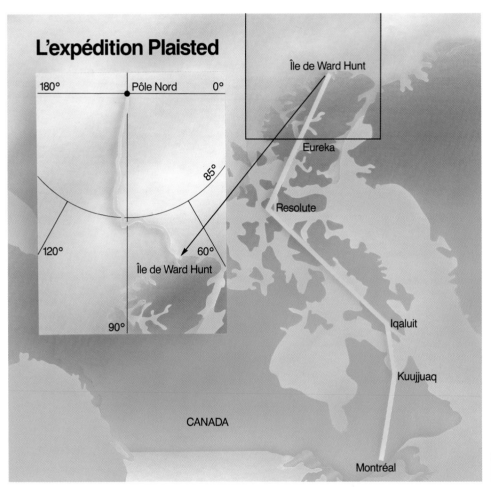

L'expédition Plaisted

Île de Ward Hunt

180°   Pôle Nord   0°

Eureka

85°

Resolute

120°   60°

Île de Ward Hunt

90°

Iqaluit

Kuujjuaq

CANADA

Montréal

1

L'équipe de soutien comprenait un médecin, deux mécaniciens, un opérateur-radio, deux cameramans, un ingénieur en électronique et un cuisinier.

Les membres de l'expédition se sont d'abord rendus en avion à l'île Ward Hunt, le dernier point de terre avant l'océan Arctique.

De là, le 7 mars 1968, ils se lancent à la conquête du Pôle Nord au volant de motoneige Ski-Doo de Bombardier, affrontant des froids de -52°C, des crêtes de glace de plus de 12 m de hauteur et des crevasses où s'engouffre la mer.

Le 16 mars, une violente tempête les immobilise pendant une semaine, les privant de ravitaillements par avion.

En dépit de tous les obstacles, 43 jours plus tard, le 19 avril, à 15 heures, ils atteignent enfin le Pôle Nord, après avoir parcouru 1 330 km sur cette terre inhospitalière !

Le relais de la flamme olympique

Lors des Jeux Olympiques d'hiver de Calgary, en Alberta, en 1988, le flambeau olympique a effectué un périple de 18 000 km à travers le Canada, dont 2 900 km en motoneige, entre Shanty Bay en Ontario et Prince Albert en Saskatchewan, une première dans l'histoire des Jeux.

Le relais de la flamme olympique

La motoneige utilisée était un Ski-Doo de Bombardier, modèle Safari 503 E de 1988. Le véhicule était muni de roues et de skis afin qu'il puisse également rouler sur l'asphalte.

On aperçoit ici le Père Maurice Ouimet, missionnaire et ami de Joseph-Armand Bombardier, tenant fièrement le flambeau olympique.

C'est au Père Ouimet que Joseph-Armand Bombardier a offert sa première motoneige Ski-Doo, en 1959. Ce véhicule fait partie de la collection du Musée depuis 1969.

Les compétitions

Parmi toutes les compétitions de moto-neiges, les plus prestigieuses sont sans doute celles qui se déroulent sur l'anneau de glace.

Cet anneau est une piste de glace de 45 cm d'épaisseur... au départ de la course. À la fin, elle ne fait plus que 5 à 7 cm d'épaisseur, usée par les crampons d'acier sous les chenilles des motoneiges.

Dès les débuts, les courses ont donné lieu à une lutte acharnée entre les fabricants désireux de s'emparer du drapeau à damier.

Aujourd'hui, vue la diminution du nom-bre de fabricants, la compétition se situe davantage au niveau des coureurs, plutôt qu'entre les compagnies.

Une motoneige de type Formule 1 peut atteindre une vitesse de 100 km/h en 3 secondes. C'est donc dire qu'elle est plus rapide au démarrage qu'une auto ou une moto.

Le Ski-Doo Blizzard 640 de Bombardier fait partie des véhicules de courses. Le modèle de 1972 était muni de trois cylindres refroidis par air libre.

Au fil des ans, certaines courses classiques ont disparu et d'autres ont pris la relève.

Toutefois, la course de Eagle River, Wisconsin, aux États-Unis, a lieu annuellement depuis 1964. C'est là que se déroulent les championnats du monde que couronne l'Argosy Cup, une coupe aussi prestigieuse pour la motoneige que ne l'est la Coupe Stanley au hockey, la Coupe Davis au tennis, ou la Coupe America à la voile.

Ce modèle Ski-Doo à deux ponts Formule 1 de 1985, pouvant atteindre une vitesse de 160 km/h, a appartenu au coureur Jacques Villeneuve, et le modèle Skiroule de 1976, à son frère Gilles, coureur de motoneiges puis coureur automobiles pour Ferrari mondialement connu, décédé tragiquement en 1982.

Outre les courses sur anneau de glace, il existe d'autres types de compétitions qui passionnent les motoneigistes et les amateurs de sensations fortes.

Il y a notamment la compétition de force, dite «tire de motoneige». Il s'agit de tirer une remorque sur la plus longue distance possible, alors qu'un mécanisme spécial alourdissant la remorque rend l'opération de plus en plus difficile.

Un autre type de compétition est le rallye sur l'eau. Les participants se voient accorder 15 m de recul afin de prendre suffisamment de vitesse pour que leur motoneige puisse filer sur l'eau.

Le gagnant est celui qui réussit à parcourir la plus longue distance avant de s'engloutir... Le record actuel est de 67,5 km !

L'ascension de montagnes est surtout populaire dans les Rocheuses de l'Ouest canadien. Il s'agit pour les coureurs d'escalader une montagne sur un circuit parsemé d'obstacles.

Les courses à obstacles sur neige, appelées «Snocross», sont également très prisées.

Il existe aussi des courses d'accélération sur gazon, très populaires, qui se tiennent surtout aux États-Unis.

Enfin, il y a les rallyes. Le plus célèbre fut sans aucun doute l'«International 500», qui se déroulait sur un parcours de 805 km, entre Winnipeg au Manitoba, et St.Paul, au Minnesota.

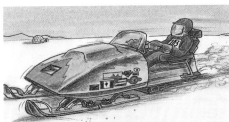

Les machines extravagantes

Tout a commencé en 1969, alors que Duane Eck a poussé sa motoneige Ski-Doo Eagle de Bombardier jusqu'à une vitesse de 153,41 km/h.

En 1972, Yvon Duhamel atteignait 204 km/h au volant d'un Ski-Doo X2R de Bombardier. La même année, Charlie Lofton a atteint une vitesse de 224,01 km/h avec un Boss Cat II fabriqué par Arctic Cat.

Le dernier record de vitesse est détenu par Marv Jorgenson qui, en 1989, a atteint une vitessse de 306 km/h au volant d'une Jaws III Spécial de fabrication américaine.

X-4R

BOSS CAT II

SUPER SNO-SPORT

Une des machines les plus extrava-
gantes est sans doute cette motoneige
de collection, la Big Al, fabriquée par
la compagnie québécoise Alouette, en
1972.

Presque toutes les pièces de ce specta-
culaire véhicule sont des pièces de
motoneiges.

Cette machine, pour le moins farfelue,
fut dessinée par le californien George
Barris. Monsieur Barris est bien connu
pour ses concepts de véhicules ex-
travagants utilisés au cinéma, dont la
première Batmobile.

Une autre pièce de collection est cet attrayant Ski-Doo Mirage II, fabriqué en un seul exemplaire par les employés de Bombardier en 1974, et offert à Monsieur Laurent Beaudoin, président de Bombardier Inc., à l'occasion de son 10e anniversaire de service.

L'industrie du futur

Depuis 1959, la motoneige a subi plusieurs transformations. Cependant, pour les habitants des pays de l'hiver, elle n'en demeure pas moins la belle petite machine.

L'univers de la motoneige est à la fois fascinant et étonnant. Fascinant par sa technologie, et étonnant par les multiples utilisations du véhicule, des plus pratiques aux plus audacieuses.

C'est une industrie en mouvement qui est appelée à changer au cours des années à venir.

De nouveaux modèles de motoneiges, encore plus perfectionnés, feront leur apparition sur le marché.

«L'Exposition internationale sur la motoneige» évoluera donc en conséquence, car les responsables du Musée ont à coeur d'y présenter les plus récentes innovations.

Une chose est certaine, la motoneige fait désormais partie de nos hivers, et elle est là pour rester, peu importe les transformations qu'elle subira avec le temps.

Nomenclature des véhicules Bombardier

Contrairement à ce qu'on pourrait croire, Joseph-Armand Bombardier n'a jamais utilisé de code secret pour nommer ses inventions. Pour comprendre la signification des noms donnés aux véhicules, il suffit parfois de compter le nombre de passagers, comme dans B5, B7, B12, R12, R15 et R18 et de décoder les lettres comme B pour Bombardier, R pour roue et MM pour Muskeg double.

Dans certains cas, il faut se référer aux composantes mécaniques. Par exemple, le C de C18 et le B12 CS indique que les véhicules sont équipés de moteurs Chrysler.

Mais pour découvrir ce qui se cache derrière les lettres, il faut surtout connaître l'anglais qui était, à l'époque, la langue du monde de la mécanique, des brevets et des affaires :

BT	«Bombardier Truck» Camion Bombardier
TD	«Truck Double» Camion double
TN	«Truck Narrow» Camion étroit
HDW	«Hydraulic Dumping Winch» Treuil hydraulique de déversement
VFB	«Vit Feller Buncher» Abatteuse et rassembleuse développée en collaboration avec Rudy Vit.
TTA	«Tractor Tracking Attachment» Chenille pour tracteurs

Marques de commerce déposées

Ski-Doo, Alpine, Élite, T'NT, Olympique, Everest, Mach 1, Safari, Moto-Ski, SW, Muskeg et Blizzard: Bombardier Inc.
Sno-Traveler et Polaris: Polaris Industries Inc.
Arctic Cat et Panther: Arctco Inc.
Super Brute: Alouette Recreational Products Ltd.

Skiroule: Coleman
Spitfire: John Deere
Yamaha: Yamaha Corporation
Phazer: Yamaha Motors Ltd.

Certains de ces fabricants de moto-neiges ont cessé leurs activités.

Crédits

Coordination
France Bissonnette, directrice
du Musée J.-Armand Bombardier

Documentation
Les archives du Musée J.-Armand
Bombardier
Richard D. Codère, conservateur

Textes
Extraits des panneaux de lecture rédigés
et révisés par IMI inc., l'équipe du Musée
et Intercommunica inc.
Révision finale par Lise Allard
Communication

Maquette
Conception graphique Dauphinais et
Charbonneau inc.

Photographies
Michael Drummond

Illustrations et cartographie
Réalisation conjointe de l'équipe du
Musée et de IMI inc.

Photocomposition
Typographie Compoplus inc.

Photogravure
Grafix Studio

Impression
P.-André Leroux,
conseiller en arts graphiques
Boulanger inc.

La Fondation
J.-Armand Bombardier

La Fondation J.-Armand Bombardier fut créée en 1965 pour perpétuer la coutume qu'avait Joseph-Armand Bombardier de distribuer une partie de ses revenus à des oeuvres charitables et missionnaires. La Fondation est un organisme sans but lucratif supporté financièrement par la compagnie Bombardier Inc. de qui elle reçoit, chaque année, un pourcentage de son bénéfice. Au fil des ans, l'aide de la Fondation s'est étendue à d'autres domaines.

Aujourd'hui, l'éducation occupe une place majeure dans la distribution des fonds de la Fondation. Des sommes importantes sont consacrées annuellement sous forme de bourses d'études et de dons à des collèges et universités, en particulier pour les sciences administratives et le génie relié au transport et à l'aéronautique.

La Fondation encourage aussi plusieurs organismes du domaine artistique et culturel, de même que la recherche médicale et scientifique, et accorde son appui à diverses oeuvres de bienfaisance québécoises, canadiennes et internationales.

L'essor socio-culturel de la région de Valcourt, d'où Bombardier tire ses origines, a toujours fait l'objet d'une attention particulière de la part de la Fondation. Celle-ci exploite à Valcourt, notamment, le Musée J.-Armand Bombardier et le Centre culturel Yvonne L. Bombardier, nommé ainsi en l'honneur de l'épouse du fondateur.

Cet ouvrage a été réalisé par
la Fondation J.-Armand Bombardier